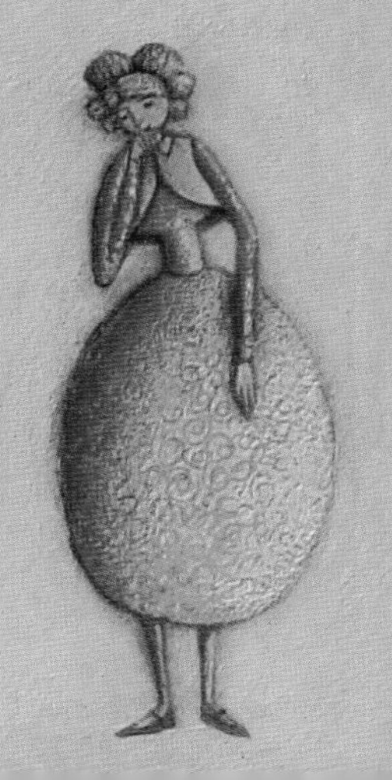

Edición original: **OQO editora**

Alemaña 72 36162 Pontevedra
Galicia ESPAÑA
T +34 986 109 270 F +34 986 109 356
OQO@OQO.es www.OQO.es

Diseño Oqomania
Impresión Tilgráfica

Primera edición enero 2011
ISBN 978-84-9871-233-9
DL PO 697-2010

Para las madres, en el momento –difícil como hermoso– de soltar la mano. ***D.***

¿Tres han de ser?

texto de **Darabuc**

ilustraciones de **Fátima Afonso**

OQO editora

Sol no era
la niña más guapa ni la más fea,
ni la más lista ni la más tonta.
Era una niña de lo más normal.

Pasaron los años y un día fue a decirle a su madre
que se había enamorado y se quería casar.

—¿Y quién es el afortunado?
–quiso saber la madre–.
De tus tres amigos,
¿a quién has elegido:
a Fausto, a Lázaro o a Ícaro?

—¡A los tres, madre!

—¿Qué dices?...
¡Nunca se ha visto tal cosa!
–exclamó la madre,
llevándose las manos
a la cabeza.

—Pero es lo que yo siento, madre:
¡los tres han de ser!

—Antes hablaré con ellos.

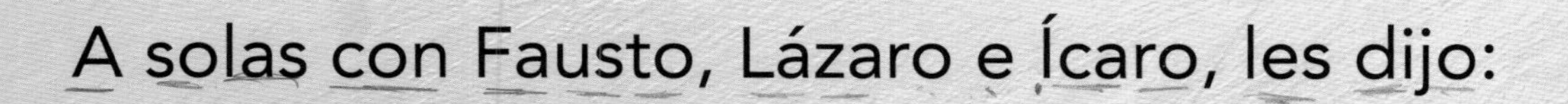

A solas con Fausto, Lázaro e Ícaro, les dijo:

—Mi hija tiene un capricho.
Ha perdido el juicio. Quiere lo nunca visto.
¡Marchaos! Marchad a recorrer el mundo
y volved dentro de un año
con la cosa más rara que podáis encontrar.
Con lo más extraño.
Lo más insólito.
Y entonces ya veremos.

Así lo hicieron,
los tres juntos.

Cruzaron por siete sierras,
navegaron por siete mares
y llegaron a la ciudad
de las torres transparentes,
donde los árboles hablan
y los gatos cabalgan a los perros.

Se cumplía un año de viaje.

Un gato con barba de chivo
le vendió a Fausto un catalejo
con el que se podía ver
lo que pasaba a miles de leguas de distancia.

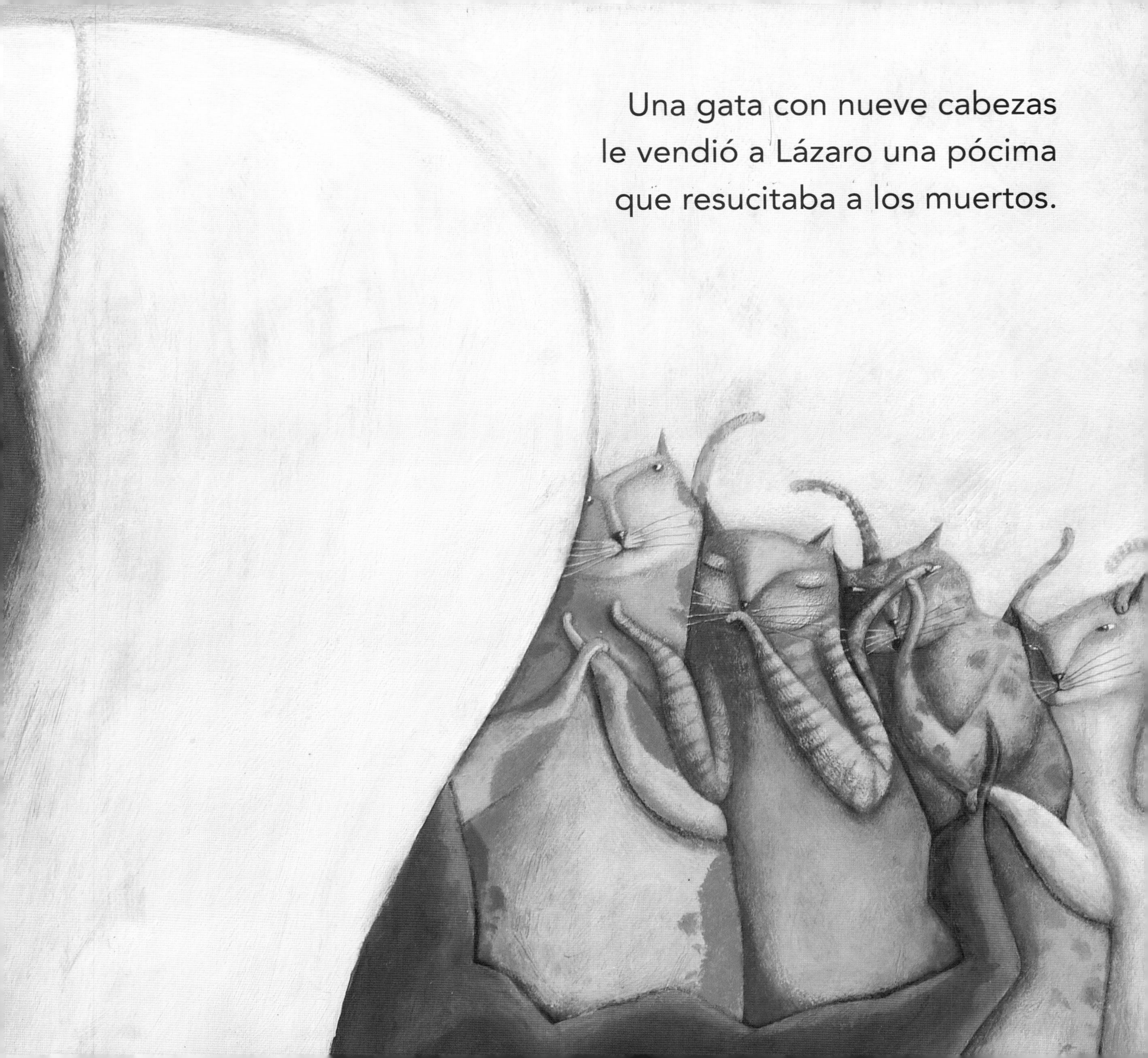

Una gata con nueve cabezas
le vendió a Lázaro una pócima
que resucitaba a los muertos.

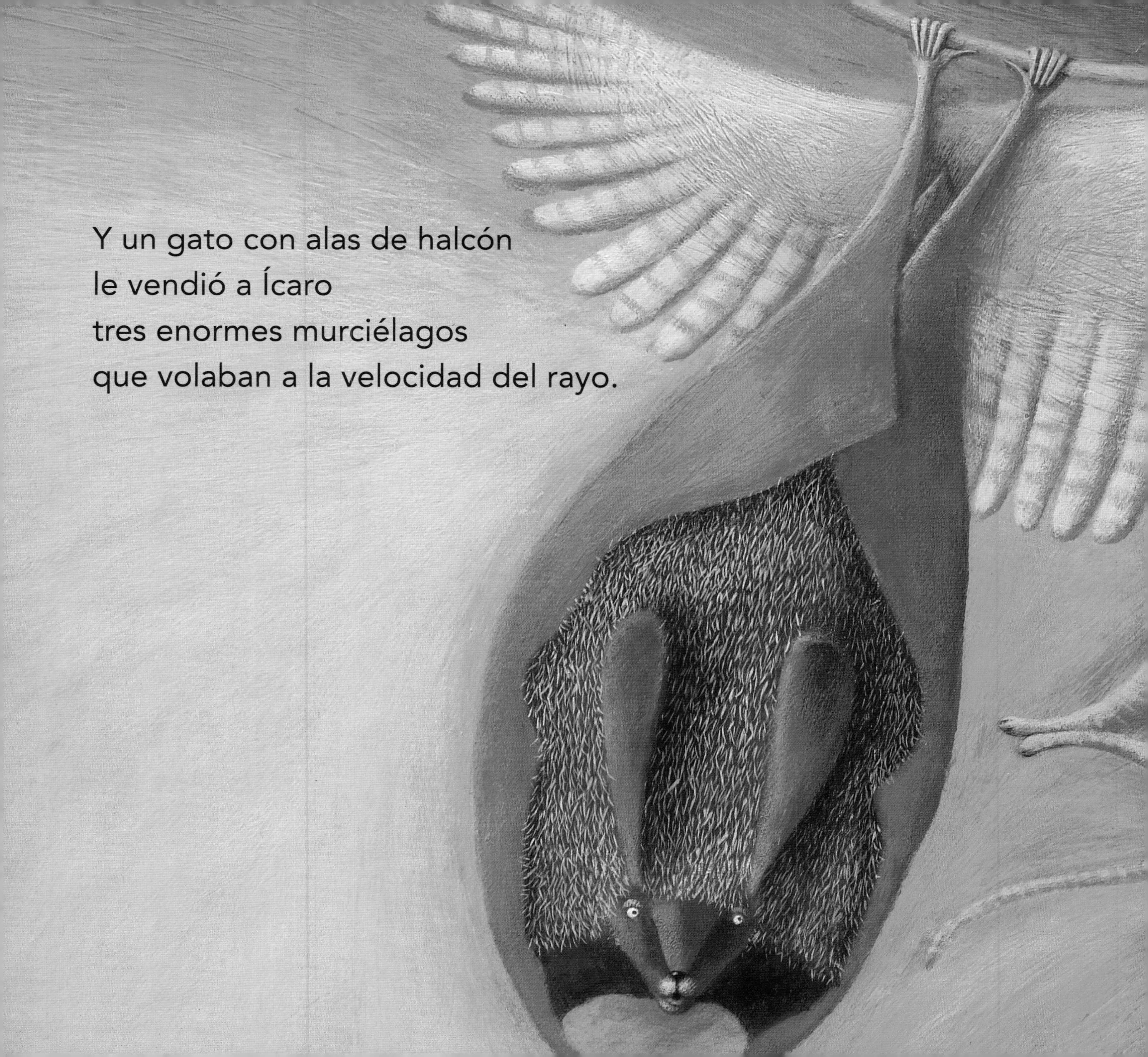

Y un gato con alas de halcón
le vendió a Ícaro
tres enormes murciélagos
que volaban a la velocidad del rayo.

Los tres amigos comieron juntos
y enseñaron lo que habían encontrado
cada uno.

Primero probaron el catalejo,
porque querían ver a Sol.

Una larga serpiente negra,
se llevaba a Sol al cementerio.

¡Eso fue lo que vieron!

—¡Montemos,
rápido!

A lomos de los murciélagos,
cruzaron los siete mares,
las siete sierras
y desmontaron
al pie mismo de la tumba.

Lázaro echó una gota de la pócima
en la garganta de Sol,
que resucitó al momento.

La tristeza se hizo fiesta
y la serpiente negra se vistió de colores
y tocó las campanas de la boda:

¡Tres habían de ser!
¡TAN, TAN, TAN!
¡Tres habían de ser!

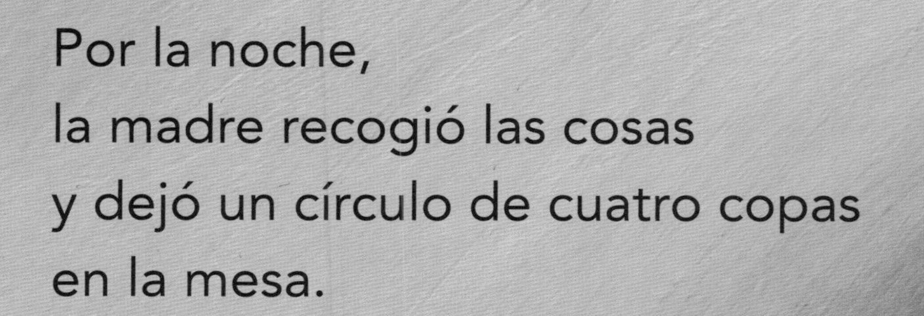

Por la noche,
la madre recogió las cosas
y dejó un círculo de cuatro copas
en la mesa.

Estuvo mirándolas
durante mucho mucho rato,
hasta que de repente
se encogió de hombros y se fue.

Quienes la vieron marcharse
cuentan que sonreía.